Einaudi Ragazzi

....

storie & rime

Collana diretta da
Orietta Fatucci

•••

Prima ristampa, settembre 2015

© 2014 Edizioni EL, San Dorligo della Valle (Trieste)

ISBN 978-88-6656-193-4

www.edizioniel.com

•••

VIVIAN LAMARQUE

illustrazioni di
Nicoletta Costa

Mettete SUBITO in DISORDINE!

Storielle al contrario

Einaudi Ragazzi

A Micol e Davide

che mi hanno aiutata

a scrivere queste storielle

....

Mettete SUBITO
in DISORDINE!

Storielle al contrario

....

«Ís» dicevano i bambini di quella città, quando volevano una cosa.

«On» dicevano i bambini di quella città, quando non la volevano.

«Oaic» quando salutavano.

Si chiamava Oirartnoc, era una città al contrario.

BASTA!

Nelle città normali le mamme, con i capelli ritti in testa, gridano ai loro figli:

– Basta! Basta! Basta! Sono stufa di questo disordine! Non voglio piú vedere giocattoli in giro, guai a voi se prima di andare a letto non li rimettete tutti al loro posto. CAPIIITOOO? Intesiii? Altrimenti, domani niente gita.

Ma a Oirartnoc le mamme non sopportavano l'ordine. Con i capelli ritti in testa, gridavano ai loro figli:

– Basta! Basta! Basta! Sono stufa di questo ordine! Guai a voi se prima di andare a letto non

mettete tutto fuori posto. CAPIIITOOO? Intesiii?
Altrimenti, domani niente gita.

Allora i bambini della città al contrario si
precipitavano a mettere tutto in disordine:
automobiline sotto il cuscino, cuscino nel trenino,
trenino sotto il pigiama, pigiama tra i peluche,
peluche con in bocca puzzle, puzzle nelle scarpe,
scarpe nella cartella, cartella nell'astuccio, astuccio
sotto la cesta, cesta in testa al nano, nano nella

felpa, felpa tra le merende, merende nel vasino del fratellino, fratellino con in testa il secchiello del lego...

– Oh, finalmente! – approvava la mamma. – Ma questo disordine deve durare, intesi? Guai a voi se domani rimettete tutto a posto!

E, tutta soddisfatta, distribuiva baci della buonanotte.

TRASLOCO

 – Cos'è tutto questo silenzio? Si può sapere? Volete che i vicini di sotto pensino che siamo tutti morti? Che siamo fuggiti come ladri? Su! Saltate! Gridate! Basta andare d'accordo! Litigate! Fate rumore immediatamente! Ubbidite! – gridava sempre a squarciagola una mamma di Oirartnoc.

Ma un giorno giunse da un'altra città una famiglia nuova che non conosceva queste regole al contrario.

Gli operai del trasloco, montando mobili e trapanando muri, facevano, si sa, un rumore

infernale. Improvvisamente si sentí suonare alla
porta:

– Sono la vicina di sotto...

– Oh la prego di perdonarmi per il disturbo, – disse
confusa la nuova vicina di sopra. – Per qualche
giorno dovremo fare un po' di rumore...

– Ma scherza, – rispose l'altra con un sorriso
grande cosí, – volevo darle il benvenuto in questo
palazzo e ringraziarla del trrrrrrrr del trapano a
mezzanotte, grazie mille, grazie di cuore, continui
cosí, arrivederci! – E se ne andò raggiante.

I nuovi arrivati si guardarono senza parole.

– Siamo capitati sopra l'appartamento di una
pazza! – E scoppiarono a ridere. In quel momento
sentirono però che dal piano di sopra provenivano
rumori altrettanto infernali dei loro. – Che ci sia un
trasloco anche di sopra?

Si sentivano bambini scatenati che saltavano
a piú non posso e una mamma che urlava:

– Toglietevi immediatamente le pantofole e
mettetevi le scarpe, non voglio sentire tutto questo
silenzio!

 – Ma dove siamo arrivati? – si domandò la
famiglia che aveva appena traslocato.

 Erano arrivati a Oirartnoc.

TELEVISORINI

 **N**elle case della città
al contrario, i televisorini guardavano tanto i
bambini. Li guardavano ore e ore e ore. Le loro
mamme, cioè le mamme dei televisorini,
li sgridavano sempre. Sentite mamma T:

– Quante volte devo dirti che non ti fa bene
guardare cosí tante ore i bambini?

– Va bene, va bene, prometto che non lo farò
piú, – rispondeva il figlio Tu.

Ma era un televisorino disubbidiente, e appena
la mamma usciva o era tutta presa dagli sms del
cellulare, ricominciava a guardarli.

Li guardava giocare, saltare, cantare. Li guardava ridere, piangere, litigare. Li guardava guardare. Guardare lui che li guardava.

– Almeno guardali quando studiano! – gridava la mamma.

– Ma non studiano quasi mai, – rispondeva il televisorino. – Che colpa ne ho io se non studiano? Comunque, se capiterà li guarderò studiare, te lo prometto.

– E non guardarli cosí da vicino che ti rovini la visione!

Durante le vacanze di Natale, la situazione a Oirartnoc peggiorava.

Le scuole erano chiuse, fuori faceva freddo: i bambini stavano tutto il giorno in casa a guardare i televisori e i televisorini stavano tutto il giorno lí a guardare i bambini.

I bambini guardavano gli alberi di Natale degli spot televisivi e i televisorini guardavano gli alberi di Natale dei bambini. Avevano una passione per le luci intermittenti azzurrine e per i fili d'oro e d'argento.

Sotto l'albero di un bambino che si chiamava Tom c'era un presepe con un laghetto fatto di specchio e una luna fatta di carta che ci si specchiava. Il suo televisorino credeva che fosse un vero laghetto con una vera luna, era un televisorino romantico.

In prima fila davanti a se stesso vedeva seduto Tom, anche se i suoi genitori gli dicevano sempre: «Sta' indietro, cosí ti rovini la vista». Tom indietreggiava per un minuto, poi era di nuovo davanti, appicciicato, come nella prima fila del cinema che ti fa venire il torcicollo.

Dunque il televisorino vedeva Tom in prima fila e dietro Tom l'albero di Natale con il presepe e dietro ancora una finestra. Dalla finestra spuntava la luna vera, ma il televisorino credeva che fosse

una luna finta perché non si rispecchiava in
nessun lago.

– Guardate cose educative! – si sgolavano le
mamme dei televisorini. – Per esempio, bambini
che leggono.

Ma loro preferivano guardare i bambini
scatenati, quelli che saltavano come cavallette

sui divani e sulle poltrone urlando a piú non
posso. Quelli che ne combinavano di tutti i
colori, rovesciavano, macchiavano, inciampavano,
rompevano, squartavano, litigavano, pestavano,
eccetera eccetera, aretecce aretecce.

NATALE

Nella città al contrario, durante le vacanze di Natale, i negozi erano chiusi. Se no che vacanze erano? Sulle saracinesche mettevano il cartellino «Chiuso per ferie».

Anche per ricordare che quando era nato Gesú non si vendeva e comprava cosí tanto, ma solo cose utili tipo olio, sale, aretecce.

Niente regali allora?

Regali sí, ma che non si compravano, si facevano.

Per esempio?

Per esempio letterine colorate affettuose con scritto «Buon Natale», anzi «Noub Elatan», quadretti di collage, collane di stoffa, braccialetti di perline, anellini di pastina, sculture di sassi, foto con fiocchetti, ecc. ecc. aret. aret.

Con i negozi chiusi risparmiavi soldi e non c'era bisogno di uscire a fare le code e non ti stancavi.

NEVE

Nella città al contrario la neve, al even, andava in su, non in giú. Perciò le strade si imbiancavano pochissimo, e le gomme da neve non le avevano inventate.

Piú la neve saliva, piú imbiancava: i prati diventavano bianchi cosí cosí, le auto abbastanza bianche, i tram molto bianchi, gli alberi bianchissimi, i tetti ultrabianchissimi, aretecce aretecce.

Non solo. In quella città la neve, al even, di giorno scendeva, pardon, saliva bianca, e la notte scendeva, pardon, saliva azzurrina.

E i fiocchi azzurri erano stellati, cioè con dentro dei puntini gialli, cosí di giorno Oirartnoc era ricoperta da una copertina candida e di notte da una copertina uguale al cielo.

Per questo in dicembre arrivavano a Oirartnoc turisti da tutto il mondo.

– Guardate! La neve sale! – gridavano entusiasti i bambini stranieri.

– Guardate! I fiocchi sembrano stelle! –
gridavano quando cominciava a fare buio.

E gli abitanti di Oirartnoc, cioè gli Oirartnocchi,
logicamente andavano nelle altre città a vedere la
neve che invece di salire scendeva.

Anche la luna guardava giú le cose strane che
succedevano nella città al contrario. Le prime volte
si era molto meravigliata, poi si era abituata. Ma
non completamente.

SOLDI

Nella città al contrario
i ricchi erano poveri e i poveri erano ricchi.

Perciò i ricchi si alzavano alle sei e prendevano
il treno e la metropolitana e il tram e un altro tram
e andavano a lavorare, e la sera prendevano il
tram e un altro tram e la metropolitana e il treno
e arrivavano a casa tutti stanchi e davanti alla tv
crollavano addormentati.

I poveri invece si alzavano quando gli pareva
e andavano in piscina e in palestra e a cavallo
e a tennis, e la sera erano freschi come una
rosa e andavano al cinema al ristorante al

dopo-ristorante, eccetera eccetera, aretecce aretecce.

I ricchi contavano i loro soldi ma erano cosí pochi che in un secondo avevano già finito di contarli.

Anche i poveri contavano i loro soldi ma erano cosí tanti che passavano mezza vita a contarli. E non sapevano piú dove metterli. In tasca? Non ci stavano. In banca? Non conveniva. Investirli? Pericoloso come gli investimenti stradali. Comprare case? Ne avevano già non so quante. Comprare auto? Idem. Oh, quante preoccupazioni!

Meglio di tutti, a Oirartnoc come in tutte le città del mondo, stavano i medi, cioè i né-ricchi-né-poveri.

Ma per i ricchi era difficilissimo diventare medi.

Per i poveri sarebbe stato facilissimo, sarebbe

bastato regalare regalare regalare a chi non aveva niente.

Invece stavano appiccicati ai loro soldi, come con l'attack.

CANI E GATTI

Nella città al contrario i cani miagolavano e facevano le fusa, i gatti abbaiavano e facevano la guardia.

Un giorno arrivò a Oirartnoc un gatto di un'altra città. Da dietro l'angolo di una strada sentí provenire un miagolio come di dolcissima gattina.

«Che bellezza, forse ho trovato la fidanzata che cercavo tanto!» Si diede una pettinatina alla coda, si avviò emozionato e...

Girato l'angolo si trovò di fronte a un cane alto quasi come un vitello, con i denti quasi da lupo... Il povero gatto fuggí alla velocità della luce, come

nei cartoni animati quando si rincorrono Tom e
Jerry (a proposito, Tom è il gatto o il topo? e Jerry
è il topo o il gatto? me lo dimentico sempre).

Altro che fidanzata gattina. Il gatto straniero
scappò scappò scappò, il cuore gli batteva a
piú non posso, il cane quasi vitello stava ormai
per raggiungerlo con i suoi denti da quasi lupo,
ma... Ma i gatti hanno una grande fortuna: sanno
arrampicarsi sugli alberi e questa fu la sua
salvezza.

– Ce l'ho fatta! Evviva! – E guardò giú molto
soddisfatto il cane-vitello che guardava in su molto
insoddisfatto.

Come si stava bene là tra le foglie. Era come
una camera con vista su strada, su giardini e su
uccellini (tra questi ultimi era già iniziato il passa-
parola: «Allarme allarme gattaccio in vicinanze
nidi», e tutte le mamme si erano accovacciate sui
loro piccoli per cercare di proteggerli).

Per fortuna il gatto era distratto da quanto
vedeva nei giardini delle case. Non credeva
ai propri occhi gialli: gatti legati a catene che
facevano la guardia e abbaiavano! cani che si
leccavano al sole miagolando e facendo le fusa!

– Ma in che città sono finito? – E appena fu notte
e si sentí al sicuro, quatto quatto proprio come un
gatto, un vero gatto, scese dall'albero borbottando:
– Meglio tornare da dove sono venuto –. E a
Oirartnoc non tornò mai piú, neppure dipinto.

STONATI

A Oirartnoc gli stonati cantavano a squarciagola dalla mattina alla sera.

E gli intonati?

Gli intonati mai.

E poiché gli stonati, si sa, sono molto piú numerosi degli intonati, nella città al contrario c'era proprio da tapparsi le orecchie.

Salivi sul tram e sentivi cantare o meglio scantare, entravi al supermercato idem, andavi dal dottore idem, e persino dal dentista, mentre nel salottino d'attesa aspettavano il loro turno

per essere trapanati, i Contrarini, anzi gli
Oirartnocchi, scantavano a tutto volume.

Anche alla radio, alla televisione e persino
ai festival della canzone tutti stonavano a piú
non posso. Soprattutto i vincitori: terzo, secondo,
e non vi dico il primo.

Gli intonati si mettevano i tappi nelle orecchie:
solo loro sapevano riconoscere le stonature, tutti

gli altri credevano di cantare benissimo e non
la smettevano piú.

Insomma era una città stonata, comunque molto
allegra, forse la città piú allegra del mondo.

Stonavano anche gli uccelli a Oirartnoc?

No, però invece di fare cip-cip, cip-cip, facevano
pic-pic, pic-pic.

RISTORANTE

Naturalmente, come avrete già immaginato, nella città al contrario i grassi erano magri e i magri erano grassi.

Perciò i grassi mangiavano dalla mattina alla sera e i magri erano sempre a dieta.

– Vorrei un'acciughina, una carotina e mezza foglia di lattuga, – ordinava al ristorante il magrolino-grasso.

– Vorrei tre piatti di spaghetti al pesto, tre di risotto ai funghi e tre di patate fritte, – ordinava al ristorante il grassone-magro.

– E da bere? – chiedeva il cameriere.

– Mezzo bicchiere di acqua e limone, – ordinava il primo.

– Un litro di coca-cola, un litro di aranciata e un litro di spumante, – ordinava il secondo.

– Buon appetito, anzi, noub otiteppa! – diceva il cameriere. – E per dessert?

– Un chicco d'uva, – ordinava il magrolino.

– Un chilo di gelato al cioccolato e un chilo di gelato alla fragola, – ordinava il grassone.

– Caffè?

– Solo un dito e senza zucchero, mi raccomando, –
diceva il primo.

– Invece a me doppio e con tripla panna e
dieci bustine di zucchero e dieci cioccolatini di
accompagnamento, ho detto dieci, mi raccomando.

PIPÍ

Ascoltate bene, questa è bella: i cani della città al contrario facevano la pipí, al ípip... al gabinetto, nel water!, e ogni volta che gli scappava. A volte non centravano bene la mira e sporcavano un po' fuori, proprio come fanno certi bambini...

I padroni invece dovevano tenere la pipí, al ípip, per ore e ore, finché i loro cani finalmente si decidevano a portarli fuori, a fare un giretto, e allora gli uomini la facevano contro gli alberi, le donne sedute nei prati.

– Mi scappa, mi scappa tanto, ti prego portami

fuori, – supplicavano certe volte i padroni, quando
per esempio avevano mangiato l'anguria o bevuto
un litro di tè.

– Mi spiace, devi tenertela, ora sto guardando
Rex alla tv, – rispondevano i cani.

– Ma mi scappa tantissimo... – supplicavano
invano i padroni, indicando con la mano la porta.

Niente da fare. Finché Rex non prendeva il
cattivo e otteneva per premio un panino con
würstel, niente da fare.

Allora certe volte, raramente a dire il vero,
succedeva che ai padroni scappasse un goccio di
ípip sul tappeto del salotto. Apriti cielo! Venivano
sgridati tantissimo.

Quando finalmente Rex era finito i cani si
alzavano, prendevano il guinzaglio-umano,
aprivano la porta e la passeggiata cominciava.

Era ora.

I padroni facevano immediatamente un litro di

ípip, poi cominciava il bello, sgranchirsi le zampe,
anzi le gambe, anzi el ebmag, annusare i... fiori,
fermarsi davanti alle vetrine. Ma appena loro
si fermavano incuriositi da qualcosa venivano
strattonati sgarbatamente, ma insomma, che modi!

Poi, sul piú bello, quando in fondo alla via
spuntava la dolce meta della passeggiata, quando
stava per avvenire l'incontro tanto desiderato,
quello sentimentale che faceva battere il cuore,
tum tum, mut mut, via un altro strattone.

– Dietro front, si torna a casa.

– Di giàààààààà?

– Sí.

– Proprio adesso che stavo per incontrare la mia
fidanzata...

– È tardi, alla tv comincia *Lilli e il vagabondo*.

– Ma che passeggiata corta!

– Altro che corta: quattro minuti e tre secondi...

C'era solo da abbassare le orecchie e la

coda mogi, ma le orecchie degli uomini erano inabbassabili e la coda non l'avevano, l'avevano persa da millenni.

C'era solo da tornare a casa.

GIOCHI

A Oirartnoc se giocavi a carte, per esempio a rubamazzetto, e rubavi il mazzo degli altri giocatori era una vera sfortuna, se te lo rubavano loro era una fortuna, perché vinceva chi restava con meno carte.

E a scopa se facevi scopa eri fritto, non parliamo poi se avevi il settebello o gli ori o la primiera. La sconfitta era assicurata.

E la Peppa Tencia? La Peppa Tencia, cioè la donna di picche di cui nelle altre città bisogna disfarsi al piú presto, loro la chiamavano Tencia Peppa, anzi Aicnet Appep, e naturalmente chi

l'aveva faceva salti di gioia, cercava di tenersela
ben stretta, di non lasciarsela pescare.

E a dama chi vinceva? Naturalmente a amad
vinceva chi non faceva nemmeno una dama. E
stravinceva se gli mangiavano tutte quante le pedine.

E a ping-pong? A pong-ping, anzi gnop-gnip,

vinceva chi batteva la pallina contro la rete, o chi la faceva volare come a pallavolo che poi non la trovavi piú.

E a pallacanestro? A pallacanestro se la palla entrava nel canestro piangevi per una settimana.

Poveretti i bambini delle altre città se gli capitava di giocare a Oirartnoc. Perdevano in un battibaleno.

Idem però succedeva agli Oirartnocchi quando giocavano fuori casa.

LINGUE STRANIERE

EYB DOOG

AOirartnoc gli inglesi non dicevano *yes* ma sey (come 6). I tedeschi non dicevano *ja* ma aj (come quando ti fai male). I francesi non dicevano *oui* ma iuo (come quando dici le vocali i u o a e), eccetera eccetera, aretecce aretecce.

E i cinesi? Non lo so. Se hai la fortuna di conoscerne uno, chiediglielo tu.

E per dire uno gli inglesi invece di *one* dicevano eno.

I tedeschi invece di *ein* dicevano nie.

I francesi invece di *un* dicevano nu.

E i filippini? Non lo so. Se hai la fortuna di conoscerne uno, chiediglielo tu.

E per dire due gli inglesi invece di *two* dicevano owt.

I tedeschi invece di *zwei* dicevano iewz.

I francesi invece di *deux* dicevano xued.

E i peruviani? Non lo so. Se hai la fortuna di conoscerne uno, chiediglielo tu.

E per dire arrivederci gli inglesi invece di *good-bye* dicevano eybdoog.

I tedeschi invece di *aufwiedersehen* dicevano nehesredeiwfua.

I francesi invece di *au revoir* dicevano ua riover.

E gli albanesi? Non lo so. Se hai la fortuna di conoscerne uno, chiediglielo tu.

E se alla sera fai fatica ad addormentarti, cara bambina o caro bambino che stai leggendo, recitati questa paginetta... e allungala ancora un po', vedrai che ti addormenterai come un sasso.

Se preferisci invece contare le pecore,
ricordati che a Oirartnoc le contavano cosí:
cento, novantanove, novantotto, novantasette,
novantasei... eccetera eccetera, aretecce aretecce...
fino a zero, fino a orez.

MALATTIE

Quando avevano la tosse, al essot, gli Oirartnocchi starnutivano. Naturalmente non facevano etciú etciú, ma uicté uicté.

Quando avevano il raffreddore, tossivano.

Quando avevano il singhiozzo, invece di ick ick facevano kci kci.

Quando avevano mal di pancia perché avevano mangiato troppo, non dicevano ahi ahi ma iha iha, come gli asini.

(Apriamo una parentesi, perché gli asinelli erano gli animali preferiti di quella città. Li trattavano benissimo, non gli facevano fare nessuna fatica

per farli riposare, per ringraziarli perché tanti anni
fa, in guerra, erano stati costretti a trasportare
in salita su per le montagne pesi pesantissimi,
addirittura i cannoni, poveretti. Chiedetelo alla
vostra maestra di storia. Chiusa parentesi.)

Torniamo alle malattie. Quando nella città al contrario avevano mal di gola, cioè mal di alog, dovevano cantare per un'ora tre volte al giorno, dopo i pasti. Quando avevano mal di gambe, dovevano andare a giocare a pallone.

Quando avevano mal di testa, cioè mal di atset, dovevano ascoltare la musica forte, eccetera eccetera, aretecce aretecce.

Sono stanca, vado a fare un pisolino, continuate voi con altri esempi.

ZANZARE

A Oirartnoc le zanzare
non avevano mai mai mai dato un morsetto
ai bambini, neppure mezzo, neppure
per sbaglio.

Potevi accendere tutte le luci che avevi,
spalancare tutte le finestre, andare al ristorante
all'aperto, potevi persino chiamarle per mezz'ora:
«Zanzaaaaare! zanzaaaaare! venite! siamo
qua con i nostri braccini saporiti!».

Niente da fare, se sentivi un zzzzzz zzzzz stavano
facendo un voletto di passaggio, al massimo
ti facevano il solletico con un'ala.

A loro non piaceva il sangue umano,
tantomeno quello dei bambini, erano zanzare...
vegetariane.

Pizzicavano foglioline di basilico, di menta,
di rosmarino, l'ortica no, la sputavano.
E andavano pazze per l'erbetta dei prati
e poiché di erba ce n'era fin che volevano,
le zanzare di Oirartnoc erano proprio
grassottelle.

Perciò d'estate nella città al contrario si stava
benissimo. Potevi giocare beato senza problemi.
Potevi persino andare al cinema all'aperto,
ce n'era uno meraviglioso con lo schermo
grande come una casa, i fortunati che abitavano
di fronte potevano guardarsi il film, li mlif,
seduti sul loro balcone.

E potevi persino passeggiare verso sera nei
luoghi zanzareschi per eccellenza, cioè i luoghi
erbosi e acquosi.

Appena ti incontravano per dirti ciao ciao, anzi
oaic oaic, facevano zzz zzz, anzi zzz zzz (!), poi
calavano in picchiata, affamate, col bavagliolo
al collo... sull'erbetta squisita del prato.

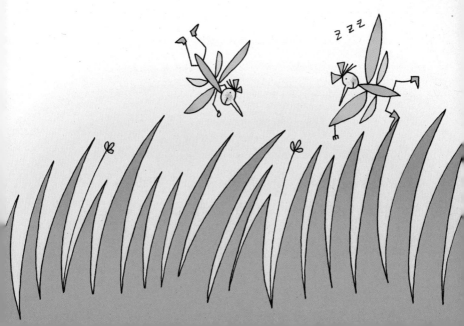

GINOCCHIA

— Quante volte devo dirvi
che non voglio vedervi tornare dal parco cosí
puliti? – gridava una mamma di Oirartnoc ai suoi
bambini. – Ma non c'era dell'erba là per rotolarsi
ben bene con i calzoni bianchi nuovi? Cosa cresce
a fare allora l'erba, si può sapere? E di terra non
ce n'era al parco? È questo il modo di tornare a
casa? Sembrate appena usciti da una lavanderia!
Vergognatevi! Guardate che ginocchia candide,
sembrano finte! Volete che i vicini pensino che
avete le gambe di plastica? O che state sempre
prigionieri in casa senza uscire mai? O che se

uscite state immobili sulle panchine come le belle
statuine? Cose da matti, non avete nemmeno un
graffio, nemmeno mezzo. Nemmeno a cercarlo
con la lente di ingrandimento. Nemmeno una
sbucciatura. Nemmeno una cicatrice. Di croste poi,
neanche l'ombra. Se domani mi tornate in questo
stato, cosí puliti, al parco non vi ci mando piú, piú,
piú... INTESIII??? CAPITOOO???

   – Ís.

FORTUNA

Nella città al contrario i
quadrifogli non portavano nemmeno un grammo
di fortuna, invece i trifogli sí.

E poiché i quadrifogli sono rari, ma di trifogli
ce ne sono a milioni, Oirartnoc era una città
fortunatissima.

Guai però se trovavi e coglievi un quadrifoglio:

Se andavi a scuola ti prendevi un votaccio o una
nota.

Se andavi in bicicletta foravi la gomma.

Se andavi a sciare non nevicava.

Se andavi a nuotare finiva l'acqua.

Se andavi in barca perdevi i remi.

Se andavi a tennis perdevi le palline.

Inoltre:

Il tuo amico preferito non ti guardava piú.

Tuo fratello ti sfasciava il gioco nuovo.

Tua madre aveva i nervi.

Tuo padre idem.

Tua nonna bruciava le zucchine al forno.

L'altra nonna bruciava i bastoncini Findus.

L'altra (ma quante nonne c'erano a Oirartnoc? tre, e un nonno solo!) dunque la terza nonna bruciava il budino al pistacchio.

Il nonno aveva mal di denti e non poteva farti ridere.

La bis-nonna aveva la febbre e la tosse forte e non si poteva andarla a trovare sulla poltrona che si alzava e abbassava col motorino.

I nonni in cielo per farti uno scherzo mandavano giú chicchi di grandine grossi come palline da ping-pong, cioè da pong-ping, cioè da gnop-gnip.

Insomma, nella città al contrario meglio girare al largo dai quadrifogli. E logicamente incontrare un gatto nero portava fortuna, tutti li cercavano e li chiamavano: gattino nero… gattino nero dove sei?

E portava fortuna passare sotto le scale, e rovesciare il sale, e rompere gli specchi, eccetera eccetera, aretecce aretecce.

GOL! GOL!

 – Gol! Gol! – Tutti i tifosi
si alzavano in piedi, pazzi di felicità: evviva degli
evviva, la loro squadra finalmente aveva fatto...
palo!

Se invece il pallone, sfortuna delle sfortune,
finiva in rete, facce lunghe e disperate, parolacce,
imprecazioni, addio punti, lo scudetto ahimè si
allontanava.

– Arbitro venduto, – gridavano tutti, – ma
cos'hai sugli occhi, fette di mortadella? Perché
ci dai il punto, non hai visto che c'era
il fuorigioco?

Speravano tutti in un palo fino all'ultimo ultimissimo novantesimo minuto.

Se il numero dei pali era pari per le due squadre, si andava ai supplementari. Se nemmeno i supplementari bastavano, si andava ai rigori.

Che paura. Che aruap. Tutti trattenevano il respiro. Incrociavano le dita. Fissavano la rete con gli occhi fuori dalla testa, come se non l'avessero mai vista, come se dentro la rete ci fosse un mostro con sette bocche.

Il cuore batteva a mille, a ellim. Finalmente il giocatore prescelto prendeva la rincorsa, che aruap... infine tirava...

PAAALO! PAAALO! Pazzo di felicità, chi aveva tirato cominciava a correre per il campo come fosse inseguito da un leone fuggito dallo zoo.

Invece del leone lo raggiungevano i suoi compagni di squadra e gli saltavano in testa urlando come degli ossessi, e come degli ossessi

urlavano anche i tifosi, tutti insieme, BRAVO!
BRAVO! OVARB! OVARB! PALO! PALO! OLAP!
OLAP! GOL! GOL! LOG! LOG!

CORSE

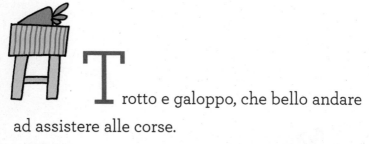

Trotto e galoppo, che bello andare ad assistere alle corse.

– Guarda guarda come trotterella bene il... signore numero 19!

Signoooore?

Sí, signore. Nella città al contrario anche le corse dei cavalli avvenivano naturalmente al contrario, cioè a correre e sudare erano gli uomini, a stare seduti comodi su di loro, sulle loro spalle, erano i cavalli.

Sulle spalle di chi correva c'era una specie di

poltroncina sulla quale stava beatamente seduto
un cavallo.

Quando l'uomo rallentava troppo, il cavallo
subito gli dava un calcetto per spronarlo a correre
di piú.

Idem succedeva ai giardini pubblici. C'era un bel
carretto di tutti i colori che, tirato da un bambino

sudatissimo, portava a spasso tanti pony, ynop, strillanti di gioia.

– Mamma-cavalla, mamma-cavalla, ti prego mi fai fare ancora un giro? – imploravano i cavallini quando il primo giro era terminato. Non volevano saperne di scendere.

Invece il bambino, stanco morto di tirare il pesante carretto, non vedeva l'ora che se ne andassero tutti a casa, che il carretto si svuotasse per riposare finalmente un po' le sue povere spalle.

CORRIDE

....

Anche nella città al contrario,
come in Spagna, c'erano le corride. Era uno
spettacolo bellissimo, le gradinate erano piene
zeppe di persone festanti, che cantavano, che
ridevano, che gridavano, i costumi dei toreri erano
meravigliosi...

Ma. Un ma deve esserci, altrimenti che città al
contrario sarebbe?

Ma. Ma il toro, tenuto come in Spagna per
tanto tempo chiuso al buio per farlo inferocire
di piú, quando finalmente gli aprivano le porte e
entrava di corsa nell'arena, pensando «Finalmente

libero!»... non veniva subito tradito, ingannato, infilzato come uno spiedino, come un puntaspilli anzi puntaspade, non gli colava il sangue dal dorso come a un martire mentre la gente si divertiva un mondo, come ai tempi dei cristiani sbranati dai leoni...

No. A Oirartnoc non erano primitivi, non erano crudeli, e soprattutto avevano un cuore buono.

Dunque quando il toro, li orot, entrava nell'arena pensando «Finalmente libero!», prima lo lasciavano correre un bel po', perché aveva bisogno di sgranchirsi. Poi arrivavano i toreri con bellissimi costumi e bellissimi panni rossi molto fotogenici... Ma.

Ma sotto non c'erano nascoste le spade. Sotto non c'era un bel niente. I toreri facevano un inchino alla gente. Al toro portavano un bel vassoio con i suoi cibi preferiti e anche un bicchiere di... rosso, che era il suo vino prediletto.

E lo spettacolo? Lo spettacolo non era una
carneficina, era una gara di costumi, una gara di
corsa tra toreri e anche una gara tra tori, perché
ne entravano nell'arena degli altri, bisognava
scommettere quale mangiava di piú, quale era
il piú bello, il piú felice di tutti. OLÈ! OLÈ! ÈLO!
ÈLO!

SPAGHETTI

Tornando dal lavoro, nessun marito telefonava alla moglie: «Butta la pasta, sto arrivando». Perché? Perché nella città al contrario la pasta non si buttava nell'acqua bollente, la pasta si mangiava cruda.

Cruuuuda?

Cruda.

Anche gli spaghetti?

Anche gli spaghetti.

Anche le penne?

Anche le penne.

Anche i fusilli?

Anche i fusilli.

Anche le tagliatelle?

Anche le tagliatelle.

Anche quelle di nonna Pina dello Zecchino d'Oro?

Ís, ís, ís.

Uno schifo, direte voi. E lo dico anch'io!

Eppure loro erano abituati cosí e non gli veniva nemmeno il mal di pancia. E se gli parlavi di cuocere la pasta nell'acqua bollente dicevano bleh, come diciamo bleh noi se ci dicono di mangiarla cruda.

Certo quando mangiavano facevano un gran rumore: dappertutto all'ora dei pasti si sentiva sgranocchiare cric crac, anzi circ carc, come per le patatine, ma molto piú forte.

(Apriamo una parentesi. In una città non al contrario solo una volta ho visto mangiare la pasta cruda. In casa di un signore che in giardino

invece del cane da guardia aveva due capre
da guardia.

Capre da guardia?

Sí, appena entrava uno sconosciuto, loro facevano «bèèè bèèè bèèè» fortissimo, erano come una sirena d'allarme. E anche le oche da guardia funzionano benissimo, lo studierete nel libro di storia.

Dunque queste capre da guardia, che il signore chiamava «le ragazze», adoravano la pasta cruda. Specie i maccheroni. Gli spaghetti cosí cosí, perché certe volte gli si infilzavano, o gli andavano di traverso. Qualche volta si mangiavano anche la scatola della pasta, trovavano squisito quel cartoncino e tutta la carta in genere. A me una volta hanno mangiato un biglietto del tram. Chiusa parentesi.)

Torniamo a Oirartnoc. Allora lí lo scolapasta non esisteva?

Sí, esisteva, ma ne facevano un uso diverso. Leggete la pagina seguente e scoprirete quale.

CIOCCOLATO

Lo scolapasta a Oirartnoc si chiamava scolacioccolato.

Infatti là mangiavano la pasta cruda, ma il cioccolato cotto.

Lo cuocevano, o meglio lo scioglievano, mescolandolo ben bene in grandi pentoloni, le tavolette si liquefavano e loro poi le scolavano nello scolacioccolato.

Ne uscivano come degli spaghetti marroncini, profumatissimi, che facevano venire l'acquolina in bocca.

Non ci avranno messo sopra ragú e formaggio grattugiato, si spera...

Chi lo sa. I gusti sono gusti. Non lo avete ancora capito?

Anche a loro sembravano matti quelli che cuocevano la pasta e mangiavano il cioccolato crudo.

Nessuno deve pensare che solo il proprio gusto abbia ragione, capito la lezione?

FIORI

A Oirartnoc i fiori erano capovolti, avevano i petali sotto terra e le radici in su. Come nel film *Lilli e il vagabondo*: ricordate la scena quando Lilli, mi pare seppellendo un osso, strappa per sbaglio un fiore del giardino e poi, per non essere sgridata dai padroni, lo ripianta ma... al contrario? Ecco cosí.

Per sapere che tipo di fiore era dovevi toglierlo dalla terra e guardare, perché le radici fuori sembravano tutte uguali, solo i giardinieri esperti le riconoscevano.

Comunque i profumi si sentivano lo stesso.

I fiori rossi profumavano di pasta al pomodoro,
quelli gialli di risotto allo zafferano, quelli rosa
di caramella.

Insomma, quando ti regalavano un mazzolino
di fiori, ti veniva voglia di mangiarlo.

Allora a tavola la pasta al pomodoro profumava
di papavero? Il risotto giallo profumava di
girasole? Le caramelle di geranio rosa?

Non lo so, non sono mai stata invitata a pranzo
a Oirartnoc.

SCUOLA

A scuola gli ultimi della classe erano i primi, e i primi erano gli ultimi.

E quelli che erano una via di mezzo?

Loro restavano una via di mezzo.

Un giorno, un bambino che veniva da un'altra città e che si dava un sacco di arie («Io sono il piú intelligente del mondo» diceva sempre, «nessuno è come me») e non lasciava mai copiare nessuno e non suggeriva mai (invece certi primi della classe che conosco io aiutano tutti), venne ad abitare con la sua famiglia a Oirartnoc.

Il primo giorno di scuola pensò: «Adesso li

stupirò tutti con la mia bravura, resteranno a bocca aperta...».

Invece a bocca aperta restò lui! Diventò immediatamente l'ultimo della classe, prese una pagella da far paura, da far aruap, finalmente la smise di darsi un sacco di arie, diventò quasi (quasi) simpatico.

VESTITI

Quando faceva caldo, a Oirartnoc tutti correvano a infilarsi maglioni su maglioni, giacche a vento, sciarpe lunghissime, guanti, berretti...

E quando faceva freddo? Quando faceva freddo tutti in calzoncini corti, magliette senza maniche, sandali senza calze, e se nevicava correvano a mettersi in costume da bagno. Che bei tuffi che facevano nella neve!

– Scopriti scopriti! – gridavano le mamme.
– Quante volte devo dirti che non devi prendere caldo! Senti che vento è arrivato, togliti subito

la sciarpa e il berretto, se no ti viene il mal di gola
e il mal d'orecchie.

Intanto i medici della città scuotevano la testa
perplessi: – Non riesco proprio a capire come mai
cosí tanti raffreddori, bronchiti, polmoniti
in questa città... – dicevano.

Etciú etciú etciú, anzi uicté uicté uicté era il coro
che si sentiva dappertutto.

GELATI

Aiuto! Come scottavano
i gelati!

– Soffia! Soffia! – dicevano le mamme.

Ma i figli niente, non volevano saperne di
ubbidire (in questo erano proprio uguali a tutti
i bambini del mondo). Disubbidivano, non
soffiavano, e si scottavano.

– Ahi! Ahi! Anzi, Iha! Iha! La mia povera lingua...
mi sono scottato con il gelato al limone...

– Ahi! Ahi! Anzi, Iha! Iha! Come scotta questo
ghiacciolo alla menta...

Eccetera eccetera, aretecce aretecce.

Certe volte si mettevano persino a piangere
e le mamme dicevano:

– Cosí impari a disubbidire, te l'avevo detto
di soffiare.

In compenso le minestrine della sera erano
fredde gelate. Sembravano gelati di dado. Bleh
e strableh. E i minestroni idem. Ogni singola
verdura del minestrone sembrava appena uscita
dal frigorifero, le carote sembravano di legno,
i piselli sembravano palline da ping-pong, anzi
da pong-ping, anzi da gnop-gnip.

NASCONDINO

-3O, 29, 28, 27, 26, 25... conto fino
a zero, fino a orez, correte a nascondervi...

Arrivato a zero, il bambino che era sotto si
girava, e tutti gli altri erano spariti.

Ma, dopo essersi girato, il bambino non andava
a cercarli, troppa fatica. Se ne tornava a casa sua, o
andava a comperarsi un gelato bollente, o andava
a farsi un giro in bicicletta.

I bambini si nascondevano, certo, se no che
nascondino è, ma nessuno andava a cercarli mai!

Quando erano stufi di restare nei loro
nascondigli, uscivano, correvano a battere tana,

dicevano liberi tutti e poi anche loro se ne
tornavano a casa, o andavano a comperarsi un
bel gelato bollente, o andavano a farsi un giro
in bicicletta.

   Una volta un bambino che si era nascosto dietro
un cespuglio dei giardini pubblici, a forza di non
essere cercato si addormentò. Quando si svegliò
non c'era piú nessuno. Ma non si spaventò per
niente. Andò sull'altalena senza fare code, sullo
scivolo senza fare code, sulla giostra senza fare
code...

Veramente giocare da soli era noioso, comunque giocò cosí tanto che si accorse che era passata la sera, la notte, e ora era mattino, era ora di andare a scuola. Conosceva la strada, si incamminò, non dovette neppure vestirsi, era già pronto. Arrivò a scuola per primo. Il portone era ancora chiuso e quando il bidello lo aprí, lui fu il primo a entrare.

– E la cartella? – chiese la maestra.

– Ah già, – disse il bambino.

SOLI

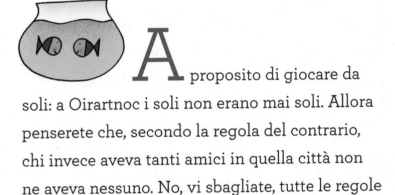

Aproposito di giocare da soli: a Oirartnoc i soli non erano mai soli. Allora penserete che, secondo la regola del contrario, chi invece aveva tanti amici in quella città non ne aveva nessuno. No, vi sbagliate, tutte le regole hanno delle eccezioni.

A Oirartnoc i soli non erano mai soli, ma nemmeno gli altri. A Oirartnoc nessuno, proprio nessuno, era mai solo.

Nemmeno gli animali in casa. Nessuna gabbia aveva un solo uccellino, nessuna boccia di vetro un solo pesciolino, nessuna cuccia un solo cagnolino,

nessuna cesta un solo gattino, nessuna casetta
di criceti un solo cricetino. Eccetera eccetera,
aretecce aretecce (come avrete notato, mi piace
molto questa parola).

E poi nessuna vecchina era senza vecchino
e nessuna ragazza senza ragazzo e nessun
bambino senza amici, aretecce aretecce.

Ogni tanto qualcuno perdeva qualcun
altro e restava solo, ma per pochissimo tempo.
Infatti tutti lo aiutavano nelle ricerche
e dopo un po' lo smarrito veniva
ritrovato.

O se non veniva ritrovato, ne trovavano
uno simile, o se non ne trovavano uno simile,
ne trovavano uno diverso, comunque erano
di nuovo in due, eud. Non uno, onu. (Avete notato
che «non» al contrario si dice «non»? Fossi in voi,
farei un elenco delle parole che anche scritte
al contrario restano uguali.)

Insomma, la solitudine a Oirartnoc non esisteva, non l'avevano mai neppure sentita nominare. Beati loro.

BICICLETTA

A Oirartnoc le biciclette andavano sulle strade e i pedoni sui marciapiedi...

E le auto?

Già, e le auto?

In giro non se ne vedeva mezza. Dove erano finite? Forse non le avevano ancora inventate? Non si vedeva neppure un distributore di benzina, neppure un meccanico, neppure un venditore di gomme (solo di quelle da masticare, di chewing gum, gniwehc mug).

Dove erano finite le auto? Ecco là, su quel palo,

la soluzione: su un cartello c'era scritto in grande OTUA, seguito da una freccia rivolta verso il basso...

Svelato il mistero: le auto erano tutte sotto terra. Tutte tutte, non solo qualcuna. Correvano su strade sotterranee cosí illuminate che là sotto sembrava sempre mezzogiorno.

Che paradiso senza auto tra i piedi! I pedoni erano felici. E anche i ciclisti, che cosí potevano ciclisteggiare che era un piacere! E mentre

ciclisteggiavano, cantavano a squarciagola. Gli stonati, naturalmente. Gli intonati, come sapete, si tappavano la bocca.

COMPLEANNO

 A Oirartnoc il giorno del compleanno il festeggiato non riceveva nessun regalo, anzi, doveva fare i regali a tutti.

A tutti?

Sí, a tutti.

Alla mamma, al papà, alle sorelle, ai fratelli.
E anche agli zii, alle zie, ai cugini, alle cugine,
ai nonni, alle nonne, ai bisnonni, alle bisnonne,
agli amici e alle amiche.

E il festeggiato non riceveva nessun
regalo?

No.

Nemmeno uno?

Nemmeno uno. Quel giorno. Ma ne riceveva
tanti altri nei giorni normali, perché quasi ogni
giorno qualche suo amico o parente compiva gli
anni.

Almeno la torta c'era?

Sí, la torta sí. E anche con le candeline. Ma le
candeline non bisognava spegnerle, bisognava
aspettare che si spegnessero da sole. C'era un
porta-cera per impedire alla cera che c'era (attenti

agli apostrofi) di finire sulla crema o sul cioccolato della torta.

Meno male! Le fette di torta con la cera fanno schifo!

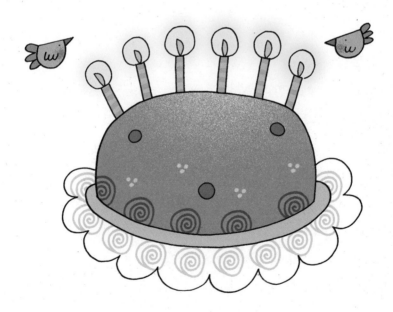

SHANGAI

Giocare a shangai in quella città era facilissimo: vinceva chi muoveva di piú prendendo i bastoncini.

Un giorno arrivò a Oirartnoc una bambina che non sapeva niente. Invitata a giocare (i bambini stranieri venivano invitati subito perché non conoscevano le regole!), ce la mise tutta per prendere i bastoncini senza muovere, quasi non respirava per non sbagliare.

Riuscí a prenderne tanti, persino la regina nera che valeva piú punti di tutti (mi pare venticinque)

e, cosí facendo, in punta di dita, senza mai
muovere, brava bravissima... perse a shangai
in un battibaleno.

PESCA

Seduti sugli scogli, i pesci stavano ore e ore pazientissimi, con la canna ferma ferma, per pescare... uomini!

Uomini?

Sí, uomini e donne e bambini, mentre beati nuotavano e giocavano nell'acqua.

All'amo i pesci appendevano cinquanta centesimi luccicanti, certe volte un euro, certe volte persino due... Le monete luccicavano nell'acqua come stelle.

«Evviva, un euro, mi ci prenderò un gelato, sono proprio fortunato!» pensavano gli uomini,

ma mentre allungavano la mano per afferrare
la luccicante monetina... zac, venivano arpionati
da un amo.

L'acqua si tingeva di rosso e loro, che poco prima
nuotavano beati, facevano la fine che nelle altre
città fanno sempre i poveri pesciolini quando
vengono pescati.

Solo cosí capirono com'era dura la vita da
pesce...

GIOSTRA

La giostra girava e girava, i
bambini si divertivano un mondo. Ma mentre
dalle giostre delle altre città cavalli e automobiline
non scendevano mai, nella città al contrario sulle
giostre era tutto un viavai, un aiviav.

A un cavallino girava la testa, a un altro
scappava la ípip e mica poteva farla in testa
al bambino della macchinina di dietro! Allora
scendevano dalla giostra, uno andava a sdraiarsi
un po' in un prato bello fermo che non gli facesse
girare la testa, l'altro cercava un posticino
appartato per fare la ípip.

Se non avevano bambini sulla sella meglio, se li
avevano portavano a spasso anche loro. «Torniamo
subito» dicevano alle mamme, che ormai erano
abituate.

Anche i bambini ne approfittavano per fare
la ípip, poi tornavano tutti sulla giostra e, belli

riposati, cercavano di afferrare la coda volante e
di vincere un giro gratis.

Quando sentiva odor di bruciato, scendeva
dalla giostra il camion rosso dei pompieri. Voleva
aiutare anche lui i pompieri veri, i nostri eroi, a
spegnere l'incendio, e il bambino che c'era dentro
suonava a tutto spiano la sirena.

Quando tornavano sulla giostra, tutti gli
battevano le mani e… tre giri gratis per i suonatori
di sirena!

Anche le motociclette ogni tanto scendevano,
andavano a fare benzina, invece l'arca di Noè si
lamentava di non poter mai scendere perché fuori
non c'era acqua. Per consolarla ogni tanto
la riempivano di animaletti come un'arca vera.
Ma questi a volte nell'arca facevano la ípip e
anche la accac…

TRAM

Dialogo tra una mamma di Oirartnoc e i suoi bambini. Sono sul tram, stanno andando dai nonni.

– Ma cosa siete diventati? Le mummie del museo egizio di Torino? Dove credete di essere, su un carro funebre? Quante volte vi ho detto che sul tram bisogna comportarsi bene, saltare sui sedili, cantare, ballare, ridere forte, sghignazzare, litigare tra di voi, eccetera?

– Scusaci, non lo faremo piú, ammam...

– Eh sí, scusaci scusaci, troppo comodo comportarsi male e poi chiedere scusa! Guardate, col vostro cattivo esempio avete mummificato tutto il tram. Sembra il museo delle cere, sembra il giorno dei morti... Nessuno che sorrida un po',

si sono marmorizzati tutti gli angoli della bocca?
Che brutte le facce ingrugnite, fanno diventare
grigie anche le cose colorate, come le nuvole
quando coprono il sole. Su! Saltate sui sedili,
cantate, ridete forte, ballate!

   – Ís, ammam.

MARE

....

 –Ma volete farmi
impazzire? Siete in acqua da mezz'ora e già
volete uscire? Secondo voi tutta questa acqua blu
meravigliosa, tutto questo bel mare cosa ci sta a
fare? Volete offenderlo, intristirlo, lasciarlo solo,
abbandonarlo, farlo piangere? È questo che volete,
ingrati degli ingrati?

Una povera mamma non aveva piú voce a forza
di gridare:

– Restate nell'acqua! Restate nell'acqua!

Idem le altre:

– Torna dentro immediatamente! Conto fino a

zero: dieci, nove, otto, sette, sei, cinque, quattro, tre, due, uno... orez. Tempo scaduto, fila dentro subito!

I bambini un po' ubbidivano, un po' disubbidivano.

Quelli delle altre città li riconoscevi subito, loro non volevano mai uscire dall'acqua. Le mamme di Oirartnoc chiamavano quei bambini che non facevano come i loro, bambini... al contrario!

GELATI 2

-Solo due gelati al giorno?
Vuoi far fallire tutte le gelaterie della città?
Vuoi far morire di fame tutti i gelatai e le loro
mogli e i loro bambini? Che non abbiano piú
un soldo e non possano piú comprare cibo per
i loro figli? Che siano costretti cosí a mangiare
solo gelati a colazione, gelati a pranzo, gelati
a merenda, gelati a cena, e a morire di
indigestione? Che non abbiano piú soldi per
pagare l'affitto e siano costretti a lasciare la loro
casa e a venire a vivere nella gelateria e morire
di freddo? Cosa credi che siano, pinguini?

Ma un cuore non ce l'hai? – diceva una mamma al suo bambino.

E poi, rivolta al gelataio: – Subito un bicchierino da dieci euro, dieci orue: pistacchio cioccolato limone fragola nocciola melone pesca ciliegia puffo nutella noci stracciatella e bacio per lui.

– Ecco, carino.

– E un altro da quindici euro, quindici orue: stracciatella noci nutella puffo ciliegia pesca melone nocciola fragola limone cioccolato pistacchio lampone mirtilli ribes banana albicocca gianduia e limoncello per me.

– Ecco, signora.

In quel momento arrivava la figlia maggiore.

– Quanti gelati hai mangiato oggi, tesoro?

– Uno, mamma.

– Ma sei pazza? Vuoi far fallire tutte le gelaterie della città? Vuoi far morire di fame tutti i gelatai e le loro mogli e i loro bambini?

(E ricominciava tutta la tiritera qui sopra, rileggetela da capo e recitatela, uno fa la mamma, uno fa il fratello, uno fa la sorella, uno fa il gelataio.)

E la mamma diceva al gelataio: – Per mia figlia subito una coppa da tredici euro, tredici orue: vaniglia crème caramel cannella amaretto menta arancio mandarino mela pera prugna cioccolato bianco cioccolato nero cioccolato con le nocciole cioccolato con le uvette... – non la finiva piú.

– Ecco, carina, – diceva il gelataio. Aveva la testa confusa e il braccio che gli faceva male, ma era tutto contento, faceva soldi a palate.

IPERMERCATO

Un papà di Oirartnoc che si chiamava Oigroig era in un ipermercato con la sua bambina Locim e il suo bambino Edivad.

– Volete o non volete smetterla di non toccare niente? Cosa siete, senza mani oggi? Le avete dimenticate a casa? Sono in sciopero? Tocca immediatamente quelle pesche o non ti porto piú, Edivad! E tu Locim cosa aspetti a prendere una manciata di ciliegie? Assaggiale, se no come faccio a sapere se comperarne un chilo o no?

Locim ubbidisce e per farsi lodare ancora di piú dal suo papà Oigroig prende anche una mela di

quelle sotto, facendo cosí cadere tutte le altre che
erano sopra, proprio come nel film *Marcellino pane
e vino*.

Edivad fa altrettanto con una pera, succede il
finimondo, il papà bacia e strabacia i suoi bambini.

– Sono proprio orgoglioso di voi! – esclama.

Intanto la bambina Locim (che nelle altre città si
sarebbe chiamata Micol), incoraggiata dal successo,
si infila un paio di pattini presi nel reparto
giocattoli e via come il vento, avanti e indietro per
i corridoi, investendo persone, rovesciando carrelli
e cestelli. Un vero tornado, una specie di Pippi
Calzelunghe, un terremoto...

– Amore mio! – le grida orgoglioso il suo papà,
baciandola e strabaciandola.

Per ricevere anche lui baci e strabaci, Edivad (che
nelle altre città si sarebbe chiamato Davide) prende
dallo scaffale un monopattino e si lancia anche lui
contro tutto e tutti all'inseguimento della sorella,

che nel frattempo è ripartita come un razzo con i pattini.

– Amore mio! – gli grida orgoglioso il papà, baciandolo e strabaciandolo.

E arriva anche il direttore dell'ipermercato con un buono premio per i due bambini.

– Complimenti, signore, per come li ha educati bene, – dice al papà. – Mi hanno sfasciato quasi tutto.

– Grazie mille, – risponde àpap Oigroig, con un sorriso raggiante.

MAESTRA

....

– **O**ggi mi state facendo proprio ammattire! Non ne posso piú! Se continuate a stare cosí fermi, faccio una nota a tutta la classe. Ma cosa siete, alberi? Pali della luce? Statue del parco? Monumenti equestri? Antenne tv? Il Monte Rosa? Tirate fuori immediatamente il diario che passo a farvi le note! – dice la maestra Ailuig alla sua classe.

– Ma maestra... – dice Ecila.

– Ma maestra... – ripete Aras.

– Ho detto tirate fuori immediatamente il diario!

– Non è giusto... – dice Ave.

– Non è giusto... – ripete Acivodul.

– E se domani ricomincerete a stare fermi impalati nei banchi, vi farò una nota ancora piú grave. INTEESI?

– Ma maestra... – dicono Aciredef e Aivlis.

– Ma maestra... – ripetono Ocram e Orteip.

– Aifos, esci subito dal tuo banco! – grida arrabbiata la maestra. – Anche voi, Oppilif e Òlocin! Cosa aspettate? Se entra qualcuno in classe e vi vede tutti lí seduti immobili

mummificati al vostro posto, cosa penserà? Che
state male? Che state covando l'influenza, la
pertosse, gli orecchioni, il morbillo, la scarlattina,
la varicella? Non dimenticatevi che siamo a scuola,
non al museo delle cere! Ve l'ho detto milioni di
volte.

  – Va bene, – dice Ainigriv.

  – Va bene, – dice Arruzza.

PIDOCCHI

A Oirartnoc i bambini avevano quasi
sempre i pidocchi.

Erano dei bei pidocchietti rosa (quelli delle
bambine), azzurri (quelli dei maschi), avevano
la forma graziosa di coccinelle, di farfalline, solo
molto piú piccoli delle coccinelle e delle farfalline
normali.

Non si lasciavano vedere facilmente, ma se
li vedevi erano cosí graziosi che sembravano
mollettine colorate tra i capelli dei bambini.

Ma, udite udite, c'era un bambino di nome
Ordnassela che, come sua sorella Acceber, non

aveva mai mai mai avuto un pidocchio.

Si vergognavano moltissimo:

– Magari me ne spuntasse uno bello azzurro, –
diceva il fratellino.

– Magari me ne spuntasse uno bello rosa, –
diceva la sorellina.

Anche la loro mamma era molto preoccupata.
Era andata in farmacia e aveva detto:

– Scusi, avete uno shampoo speciale per far
crescere i pidocchi? ihccodip?

– Ma certo, signora. Ecco a lei.

La mamma aveva lavato ben bene, con tanta
bella schiuma, i capelli di Ordnassela e di Acceber.
Tutte le mattine prendeva una lente e scrutava tra
i capelli dei bambini, sperando di trovare una bella
fila di pidocchietti. Niente da fare. Nemmeno uno
rosa. Nemmeno uno azzurro.

Fratello e sorella piangevano perché tutti
avevano i pidocchi e loro no.

– Non è giusto! – diceva Ordnassela.

– Non è giusto! – ripeteva la piccola Acceber.

Invidiavano molto Aloiv e Ocram e Atirehgram e Edlitam, che ne avevano a bizzeffe.

PISCINA

Nella città al contrario,
i bambini nascevano che sapevano nuotare
benissimo. Per forza, dopo nove mesi nella pancia
acquosa della mamma!

Verso i cinque o sei anni, i genitori li iscrivevano
a corsi speciali per disimparare a nuotare. Li
portavano in piscina uno o due volte la settimana,
dove li aspettavano bravissimi maestri di snuoto.

E come funzionavano i corsi di snuoto?

Ve lo spiego subito: il maestro metteva ai
bambini, intorno ai piedi, dei braccioli, scusate,
volevo dire delle cavigliere arancioni di pietra che

in un secondo trascinavano i piedi dei bambini sul fondo della piscina. Naturalmente l'acqua non era profonda, altrimenti sarebbero annegati. Giunti con i piedi sul fondo dovevano incominciare a fare i primi passi, insomma dovevano imparare a muoversi nell'acqua non piú orizzontalmente, ma verticalmente.

– Maestro, ho aruap, – diceva Anitnelav.

– Maestro, non imparerò mai a snuotare, – diceva suo fratello Odraode.

– Su, non fate i fifoni, – rispondeva il maestro.
– Credetemi, prestissimo avrete disimparato a nuotare e imparato a snuotare.

– Allora, mio figlio ha fatto progressi? – chiedeva una mamma.

– Ma certo signora, può essere soddisfatta, suo figlio nuota ormai malissimo e fra un po' non saprà nuotare piú per niente.

Le mamme si vantavano tra loro:

– Mia figlia Ardnassela nuota molto peggio della tua.

– Non è vero, carina, mia figlia Atrebor nuota molto molto molto peggio di tutte, è la peggiore del corso.

Un giorno si iscrisse al corso di snuoto...

Un bambino di un'altra cíttà!

Bravi, come avete fatto a indovinare?

Ma il maestro sapeva che quel bambino non era di Oirartnoc?

No, non lo sapeva.

Il primo giorno il maestro chiese al bambino:

– Come ti chiami?

– Daniele.

– Che nome strano! Sei sicuro di non chiamarti Eleinad?

– Vuole che mio figlio non sappia come si chiama? – disse la mamma tutta offesa.

Quello che successe poi, potete immaginarvelo. Daniele fuggí a gambe levate e non tornò mai piú in nessuna piscina di Oirartnoc.

ORECCHIE

–Sei impazzito? Ti sei lavato le orecchie anche oggi? Non ti ricordi che te le sei già lavate il mese scorso? Quante volte devo dirti che le orecchie non si lavano tutti i giorni? Vuoi che si consumino giorno dopo giorno inesorabilmente? Che ti diventino piccole come quelle di un moscerino? (ammesso che i moscerini abbiano le orecchie). Vuoi consumarmi tutta la saponetta e anche quella di scorta e anche quella di scorta di quella di scorta? Vuoi consumarmi l'asciugamano e fargli venire dei buchi come quelli del formaggio? Vuoi consumare l'acqua che ormai sul nostro pianeta Terra sta scarseggiando paurosamente? Non lo sai che nei prossimi decenni molti paesi non avranno piú una goccia d'acqua? Guai a te se ti trovo un'altra volta a lavarti le orecchie!

– Va bene, ammam, – promise Onillecram.

TELEVISIONE

-**M**a insomma, nessuno guarda mai la televisione in questa casa? Non vedete che ci sono i cartoni animati?

– Sí, finiamo i compiti e poi veniamo.

– Poi poi poi, dovete venire subito! Ho detto SU-BI-TO! Inteeesi? E dopo i cartoni c'è un film e poi ce n'è un altro e un altro ancora. Devo sempre essere io a ricordarvelo! Accendete quel televisore! Accendetelo subito! Sempre appiccicati ai libri a studiare dalla mattina alla sera. Finirete per consumarvi gli occhi.

– La televisione non mi piace, – diceva Iderfnam.

– Nemmeno a me, – diceva Atina.

– Come non vi piace la televisione? Siete fuori
di testa?

– Ma sí, ammam, qualche volta ci piace, ma
spesso è noiosa e anche un po' scema, – dicevano
Aras e Enomis.

– Scemi sarete voi! Se tutti battono le mani vuol
dire che è bella.

– Ma che bella, le mani le battono a comando,
si accendono delle luci in alto che dicono
«Applaudite!» col punto esclamativo. Per
questo applaudono. Li hanno invitati gratis per
applaudire.

– Non voglio sentire storie. La televisione
bisogna guardarla. Se no cosa l'hanno inventata a
fare?

– Anche la ghigliottina l'hanno inventata, –
rispondeva il piú grande, che stava studiando
storia. – Allora tagliamo tutte le teste?

– Non cambiate discorso, conto fino a zero e poi voglio vedervi incollati allo schermo: dieci nove otto sette sei cinque quattro tre due uno orez...

TELEFONO

– Sempre telefonate corte,
sempre telefonate corte, un giorno o l'altro mi
farete impazzire. Cosa l'hanno inventato a fare il
telefono se non lo usate? Volete far piangere il suo
inventore nella tomba? Cosa l'abbiamo comprato
a fare se nessuno lo usa? Tu smettila di non
telefonare ai tuoi amici!

– Ma li ho lasciati cinque minuti fa, non ho piú
niente da dirgli.

– Chiamali lo stesso, qualche idea ti verrà. E tu
smettila di non telefonare al tuo ragazzo!

– Ma mamma, siamo appena stati un'ora a
parlare col telefonino...

– Ma con l'apparecchio fisso no! Vuoi ingelosire
il telefono fisso? Cellulare sí e fisso no? Vuoi
spezzargli il cuore?

– E va bene, ora la smetto di non chiamare.

Dopo due minuti, udendo riagganciare la cornetta:

– Ma hai già finito la telefonata? Hai perso l'uso della parola? Hai terminato le scorte di fiato? Passi le giornate sui quaderni e per farti usare il telefono devo pregarti in ginocchio! Volete che arrivi da pagare una bolletta di euro zero? Che poi non esiste nemmeno la moneta da zero, e allora come farei? Uffa uffa, affu affu!

OMBRELLI

–Chiudete subito l'ombrello che piove!

Secondo voi che papà può pronunciare una frase simile?

Che scoperta: un papà di Oirartnoc!

– Quante volte devo dirvi che la pioggia fa bene? È acqua, mica è fuoco! Fa crescere le piante, quindi anche voi. Guardate come sono diventato alto io, che l'ho presa tante volte! E guardate quella casa in costruzione: ieri era di tre piani e oggi è di quattro. Infatti questa notte è piovuto. E poi vi lava i capelli e i vestiti gratis. Sapete quanto costa

oggi un parrucchiere? Una tintoria? Non bisogna
sprecare il denaro, risparmiate!

Ma allora a cosa servono gli ombrelli?

A ripararsi dalla ípip dei piccioni in volo, dalla
accac delle rondini, dai vasi che cadono dai
balconi, dalla polvere degli stracci per la polvere
che vengono scossi fuori dalla finestra.

Servono anche per essere messi nei portaombrelli, se no cosa li hanno inventati a fare i portaombrelli?

E servono per essere persi, se no come fai a perdere l'ombrello se non ce l'hai?

E servono per quando vai nelle altre città, dove ti guardano male se vai in giro tutto bagnato.

PIPÍ 2

-Prima di uscire di casa, guai a voi se fate la ípip. Cosa ci sono a fare fuori gli alberi, l'erba, le toilette? A furia di usare il bagno di casa, mi consumerete il water! Mi consumerete l'asse! E l'acqua e la carta igienica! A furia di schiacciarlo, consumerete anche il pulsante dello sciacquone! La pipí si fa fuori, capitooo? Non voglio sentirvi dire, appena siamo in strada, MAMMA NON MI SCAPPA LA PIPÍ, quante volte devo dirvelo? Vi scappa eccome. Vi deve scappare. Allora andremo a sederci in un bel bar, ordineremo paste e gelati ricoperti di panna montata, poi chiederemo «Scusi dov'è la toilette?» e cosí finalmente farete la vostra benedetta pipí. Capito? Intesi? Non fatemelo ripetere piú.

– Ma mi scappa adesso, mamma.

– Tienila, ti ho detto. Stiamo per uscire.

ARIA

Nella città al contrario, incredibile, l'aria sapeva di aria.

Avete sentito bene, lo ripeto: nella città al contrario l'aria sapeva di aria.

Non sapeva di gas, non sapeva d'automobile, non sapeva di fumo, né di catrame, né di benzina, né di fabbrica, né di officina, né di calce, né di vernice, né di gomma bruciata, e nemmeno di tutte queste cose messe insieme. Incredibile, sapeva di aria.

Vuoi dire che a Oirartnoc l'aria non puzzava?

Sí. Non puzzava.

Allora sapeva di montagna?

No. Non c'erano montagne.

Allora sapeva di mare?

No. Non c'era nessun mare.

E allora di cosa sapeva?

Ve l'ho detto e ve lo ripeto, là l'aria sapeva di aria,
id aira.

L'unica volta in cui non sapeva di aria era quando aprivano le finestre le mamme che stavano facendo le torte.

O le nonne che stavano facendo le lasagne.

O le panetterie che stavano facendo il pane.

O le pasticcerie che stavano facendo i bignè al cioccolato.

Aretecce aretecce.

Altrimenti a Oirartnoc l'aria sapeva di aria. Aira'l avepas id aria.

SPECCHI

Camminando per la città al contrario, incontravi spesso persone vanitosissime intente a specchiarsi.

Dove si specchiavano, negli specchietti tascabili?

No.

Negli specchietti delle auto?

No.

Nelle vetrine dei negozi?

No.

Insomma, allora dove?

Si specchiavano nei marciapiedi.

Coooome???

I marciapiedi di Oirartnoc erano cosí puliti
e lustri che ci si poteva specchiare, spec-chia-re.

Impossibile.

Lo dici tu!

E come facevano a essere cosí puliti?

Tu come fai a essere cosí pulito?

Mi lavo.

Ecco, idem loro. I marciapiedi della città al
contrario si lavavano, si autolavavano. E in piú
li lavavano anche continuamente.

Chi?

Gli spazzini ma anche i suoi vanitosi abitanti,
quando c'era una macchiolina che impediva loro
di specchiarsi, subito con un kleenex profumato
che avevano in tasca la toglievano.

Non ci credo.

Va' a Oirartnoc e vedrai.

E come facevano i marciapiedi ad autolavarsi
da sé?

Ogni metro c'era per terra un gommino, chi passava lo schiacciava e ne usciva un po' di schiuma, una meraviglia. Specie quando pioveva. Quando pioveva, tutta la città diventava come una vasca da bagno piena zeppa di schiuma profumata.

Come facevi a camminare?

Infilavi le soprascarpe di gomma. E basta domande, va' in quella meravigliosa città, e vedrai.

A proposito, leggi anche la storiella seguente.

MULTE

Non solo le strade luccicavano, ma non trovavi per terra neppure un biglietto del tram, neppure mezzo, neppure una cicca di sigaretta, niente di niente.

Nemmeno nell'erba dei giardini trovavi niente. Neppure una lattina, neppure una bottiglietta.

Come mai?

Se mangiavi un gelato e buttavi la coppetta nell'erba, il prato te la ritirava subito dietro e ti diceva con un vocione: maleducato d'un maleducato, non vedi che lí a un passo c'è un cestino? (E che cestino! grandissimo! non come

quelli delle nostre città, piccoli come le nostre
pattumiere di cucina, che sono subito pieni.)

Oirartnoc poi era piena di ragazzi campioni del
mondo di corsa, che appena vedevano qualcuno
buttare per terra qualcosa si precipitavano
a raccoglierla e a ficcargliela nelle tasche,
dicendogli «vergogna» e appioppandogli una
multa supersalata, che doveva andare a pagare
lontanissimo, sudando molto.

ROMPERE

– **M**a insomma! –
gridavano i papà. – Questi giocattoli che vi ho
regalato l'anno scorso sono ancora intatti, come
appena usciti dal negozio, mi fate proprio
arrabbiare! Io, alla vostra età, sfasciavo tutto
in un minuto. Un giocattolo non faceva in tempo
a entrare in casa, a capitarmi tra le mani, che era
KO. Era il mio segno d'amore per lui. Voi proprio
non li amate, i vostri. Non li smontate, non
li squarciate, non li decapitate, non li amputate,
non li schiacciate, non li spogliate, non li
sporcate, eccetera eccetera, aretecce aretecce...

Ma insomma, che modi sono i vostri? Almeno
perdeteli!

– Ma papà, come si fa a perderli? Come, come
si fa?

– Al parco puoi dimenticare il pallone, sul bus
puoi dimenticare la cartella...

– La cartella non è un giocattolo.

– Va bene, puoi dimenticarla lo stesso, no?
Dal tuo amico puoi dimenticare Spiderman,

o almeno la sua testa. O la Witch, o almeno un suo braccio. Dalla nonna puoi dimenticare i pennarelli, aretecce aretecce...

– Come faccio a comperarvi giocattoli nuovi se non sfasciate quelli vecchi? Forza, ubbidite, non fatemelo ripetere tutti i giorni, capitooooooooo?

LUNA

Oh, com'era bella la luna nella città di Oirartnoc!

Non era come tutte le lune delle altre città.

Prima di tutto non faceva il part-time, potevi vederla sempre-sempre, a qualsiasi ora del giorno e della notte.

Poi non era una luna nuda, era una luna vestita. E anche molto vanitosa, si cambiava tutti i giorni.

D'estate portava abiti trasparenti, leggeri leggeri, di bei colorini chiari chiari, con delle goccioline come di acqua di mare.

Ne aveva un nuvolone pieno: c'erano i celestini,
i giallini, i dorati, gli argentati, quelli con
le perline, quelli con le paillettes...

D'autunno si vestiva color delle foglie che
cadono, anche se lei non cadeva mai. Le stelle sí
cadevano, si sa, altrimenti non le chiamerebbero
stelle cadenti, lei no. Neppure quando era piena
e pesava di piú.

D'inverno, poiché era un po' freddolosa,
indossava quasi sempre un manto bianco-neve
con cappuccio, tutto trapuntato di vetrini che
sembravano cristalli... una vera meraviglia. Aveva
anche sciarpa e guanti uguali.

In primavera si vestiva sempre di rosa, e a volte
i petali degli alberi in fiore volavano fin lassú
sul suo vestito come dei ricami e finché non veniva
il vento restavano lí.

Se un giorno andrete a Oirartnoc, cari
bambini che state leggendo, non dimenticatevi

di guardare in su: la luna di quella città è davvero meravigliosa.

E il sole?

Leggete la storiella seguente.

SOLE

Il sole della città al contrario
aveva una specialità: ti scaldava senza farti sudare
e nemmeno scottare. Nemmeno abbronzare però.

Gli Oirartnocchi, se volevano la pelle scura,
dovevano andare in vacanza altrove. Non
occorreva andare lontano, bastava uscire dalla
loro città, e già al primo passo al di là del confine
diventavano sudati e abbronzati.

Certe volte anche scottati.

Lui, il sole, non era vanitoso come la luna.
Lei gli diceva: – Ma non ti cambi mai? Sempre
lo stesso vestito giallo? Non sei un po' stufo?

Lui rispondeva che aveva ben altro per la testa.
E che era già meraviglioso cosí. E che era molto
comodo al mattino non dover pensare «oggi cosa
mi metto». E la sera poteva andare a letto in un
battibaleno, senza spogliarsi, si lavava solo i denti.
E la mattina poteva dormire fino all'ultimo minuto,
si alzava, si lavava e faceva subito colazione, un
bicchiere di Via lattea e un po' di pan di stelle, ed
era bell'e pronto.

VECCHINI

AOirartnoc i vecchini erano tutti giovanissimi.

E i giovani?

I giovani non erano vecchi, erano abbastanza giovani, ma i vecchini di piú. Erano i piú arzilli di tutti.

Se vedevano una mamma che usciva dal supermercato carica di borse, i vecchini le chiedevano subito:

– Vuole che gliene porti qualcuna, poverina?

Se ne vedevano un'altra un po' titubante nell'attraversare la strada, le chiedevano:

– Vuole attaccarsi al mio braccio, signora?

Allora a Oirartnoc i vecchini non usavano i bastoni?

Sí li usavano, ma non per camminare. Per esempio, una vecchina bellissima e elegantissima che si chiamava Ysor, che tradotto sarebbe Rosy, lo dava sempre in testa ai malintenzionati se per caso si avvicinavano per derubarla...

I vecchini non erano sordi, ci sentivano benone, quando una foglia cadeva da un albero si tappavano le orecchie per il frastuono...

Non avevano bisogno degli occhiali, ci vedevano benissimo, come aquile (però non si mangiavano coniglietti e pulcini, loro).

Ma la differenza piú grande era questa: quando avevano terminato la loro lunga vita ed erano stanchi, non andavano in cielo. Al cimitero di Oirartnoc avevano dei comodi lettini dove potevano dormire quanto volevano. Ogni tanto i nonni si svegliavano e i nipotini andavano a trovarli con paste e coca-cola e facevano merenda insieme.

– Cos'è successo mentre dormivamo? – chiedevano i nonni e le nonne.

Allora i nipotini raccontavano tutte le ultime novità, per esempio che erano state inventate delle gambe che non si rompevano mai. E ridevano insieme, beati.

INDICE

Mettete SUBITO
in DISORDINE!
Storielle al contrario

Finito di stampare nel mese di agosto 2015
per conto delle Edizioni EL
presso G. Canale & C. S.p.A., Borgaro Torinese (To)

DF 018698/216

RICEVTE SUBIT
O IN DISCHIN
I MI BIENE
LAMPAGUE

EINAUDI RAGAZ
EDIZIONI EL